CYNEFIN
Y FFERM

I Taid, dyn cefn gwlad a oedd yn gymaint o ysbrydoliaeth i naturiaethwr ifanc.
I.W.

I Lois a Shôn
B.W.J.

Argraffiad cyntaf: 2015
© testun: Bethan Wyn Jones ac Iolo Williams 2015

Rhif Llyfr Safonol Rhyngwladol: 978-1-84527-532-7
Cyhoeddwyd gyda chymorth ariannol Cyngor Llyfrau Cymru

Golygydd: Nia Roberts
Dylunydd: Elgan Griffiths

Cyhoeddwyd gan Wasg Carreg Gwalch,
12 Iard yr Orsaf, Llanrwst, Dyffryn Conwy, Cymru LL26 0EH.
Ffôn: 01492 642031   **Ffacs:** 01492 642502
e-bost: llyfrau@carreg-gwalch.com
lle ar y we: www.carreg-gwalch.com

Argraffwyd a chyhoeddwyd yng Nghymru

Ffotograffau
shutterstock, ac eithrio
Bethan Wyn Jones: 16, 21, 30, 43; Malcolm Williams: clawr, 48, 50, 54, 56, 58;
Gareth Vaughan Jones: 59

Darluniau: Chris Shields

Diolchiadau
Marian Beech Hughes, Alun Elidyr, Malcolm Williams,
Gareth Vaughan Jones, Caffi'r Cyfnod a Chaffi Frongoch (Matthew a Liz)

CYNEFIN

Y FFERM

Bethan Wyn Jones ac Iolo Williams

Gwasg Carreg Gwalch

Cyflwyniad

Mae'r rhan helaethaf o Gymru wedi cael ei 'ffermio' ar ryw adeg. Ers i ddyn glirio'r goedwig wyllt a oedd yn gorchuddio llawer o'r wlad bedair mil o flynyddoedd yn ôl, rydyn ni wedi bod yn torri coed a gwella'r tir ar gyfer tyfu cnydau a bwydo anifeiliaid. Mae 80% o dir Cymru yn dir amaethyddol, a 67% o hwnnw yn dir pori. Ceir hefyd borfa arw, sef llystyfiant naturiol a phorfa heb ei gwella.

Hyd yn gymharol ddiweddar, ffermydd bach oedd y rhan fwyaf o ffermydd Cymru – roedd pob teulu'n cadw ychydig o wartheg, moch ac ieir, ac yn tyfu cnydau fel ceirch ac ŷd. Ar ffermydd bychan, cymysg fel hyn roedd bywyd gwyllt yn ffynnu a galwad y gylfinir a'r gog yn atseinio dros y caeau gwair, a blodau fel robin garpiog, blodyn llefrith a thegeirianau lu yn dod â môr o liw i'r dirwedd.

Daeth tro ar fyd ar ôl yr Ail Ryfel Byd. Daeth y tractor a'r Jac Codi Baw i gymryd lle'r ceffyl. Rhoddwyd tunelli o wrtaith ar y tir, sychwyd y tiroedd gwlyb a thorrwyd silwair yn lle gwair traddodiadol. Cafodd hyn i gyd effaith andwyol ar fywyd gwyllt, ac erbyn heddiw dydi llawer o dir fferm ddim yn gystal cynefin i fyd natur ag yr oedd o. Serch hynny, mae pocedi o gynefinoedd gwych i'w cael o hyd – mae pyllau dŵr, perthi, coedwigoedd, ffriddoedd, waliau cerrig ac adfeilion yn cynnig cyfleoedd cyffrous i natur a naturiaethwyr.

—Bethan Wyn Jones ac Iolo Williams,
Gorffennaf 2015

Cynnwys

Gwennol

Defaid

Y Fferm

Yng Nghymru ffermio defaid a ffermio llaeth a geir yn bennaf. Prif gynnyrch ffermydd Cymru yw llefrith, cig a gwlân.

Credir bod tua 28,000 o ffermydd yng Nghymru, a ffermydd teuluol yw'r mwyafrif ohonynt. Fel rheol, disgrifir tir ffermydd sydd dros 400 m yn uwch na lefel y môr yn rhostir, a thir sydd dan 250–300 m yn dir gwastad.

Mae fferm, a buarth y fferm yn arbennig, yn fan cyfarfod pwysig i ddyn ac anifail. Defnyddir tir y fferm yn aml gan anifeiliaid gwyllt yn ogystal â gwartheg, defaid, moch, ieir a gwyddau, cŵn a chathod. Mae caeau a ffriddoedd, bryniau a mynyddoedd, gelltydd o goed, gwrychoedd, perthi, cloddiau pridd, waliau cerrig, ffosydd, nentydd, afonydd, pyllau dŵr, llwybrau troed a lonydd trol hefyd yn darparu amrywiaeth gyfoethog iawn o gynefinoedd.

Dail tafol

Cudyll coch

Gwennol y bondo

Gwartheg

Hwyaid

Ieir

Aderyn y to

Ci defaid

Llygoden ffyrnig

Dant y llew

Danadl poethion

Gwrachen ludw

Mamaliaid

Twrch daear / Gwahadden

(*Talpa europaea*; Mole)
Mae hwn yn byw mewn cyfres o dwneli o dan y ddaear ac yn bwydo ar fwydod yn bennaf. Er ei fod yn gyffredin ar ffermdir ledled Cymru, pur anaml y gwelir yr anifail ei hun – ond mae'r twmpathau a gloddir ganddo'n amlwg iawn yn y caeau.

Twrch daear

Llyg gyffredin

(*Sorex araneus*; Common shrew)
Anifail bach prysur, â thrwyn hir a chôt o ffwr brown, sy'n byw yng ngwaelodion perthi, ac mewn caeau gwair a chorsydd. Mae'n bwydo ar drychfilod, mwydod a chreaduriaid di-asgwrn-cefn eraill. Mae ganddo wich uchel.

Llyg gyffredin

Gwenci

Gwenci

(*Mustela nivalis*; Weasel)
Creadur prysur tebyg iawn i'r carlwm ond yn llai o faint, gyda chynffon fer heb flaen du arni. Mae'n hoff iawn o berthi a glaswelltiroedd, lle bydd yn hela mamaliaid bach.

Ffwlbart

(*Mustela putorius*; Polecat)
Ffwr tywyll sydd gan y
ffwlbart, a phatrwm gwyn ar
ei wyneb. Er ei fod yn swil ac
yn ymddangos yn y nos, mae'n
gyffredin ledled Cymru ac yn
hela cwningod a mamaliaid
bach eraill.

Llygoden bengron goch

(*Clethrionomys glareolus*; Bank vole)
Llygoden bengron gyda ffwr browngoch,
cynffon weddol hir a chlustiau bach.
Mae'n byw mewn perthi a chloddiau, ac
yn gyffredin ledled Cymru heblaw ar y tir
uchel.

Llygoden bengron goch

Llygoden bengron y gwair

(*Microtus agrestis*; Short-tailed vole)
Anifail tebyg i'r llygoden bengron goch
ond bod ei ffwr yn llwydfrown a'r
gynffon yn fyrrach. Llygoden bengron
gyffredin sy'n creu cyfres o dwneli mewn
cynefinoedd gwelltog.

Ysgyfarnog (*Lepus capensis*; Brown hare)
Anifail tebyg i'r gwningen ond yn fwy
o faint, gyda choesau ôl a chlustiau hir
iawn. Anifail cyffredin erstalwm ond yn
brinnach erbyn heddiw.

Llygoden bengron y gwair

Ysgyfarnog

Mamaliaid

Adar

Bwncath
(*Buteo buteo*;
Common buzzard)
Aderyn ysglyfaethus cyffredin
iawn sy'n aml i'w weld naill
ai'n eistedd ar ben polyn neu'n
cylchu yn yr awyr. Mae'n bwydo
ar fwydod, chwilod, mamaliaid
bach a chyrff anifeiliaid marw.
Mae'r patrymau gwyn, hufen
a brown ar hyd y corff yn
amrywio'n fawr.

Barcud coch (*Milvus milvus*; Red kite)
Aderyn â chorff browngoch, pen golau a
chynffon hir, fforchog. Hwn yw aderyn
cenedlaethol Cymru. Ganrif yn ôl roedd
yn brin iawn, ond erbyn heddiw mae
dros fil o barau'n nythu yng Nghymru.
Mae'n adeiladu nyth mawr o frigau a
gwlân mewn fforch mewn coeden.

Ffesant (*Phasianus colchicus*; Pheasant)
O Asia y daw'r ffesant yn wreiddiol ac
erbyn heddiw mae'n niferus dros ben.
Mae'r ceiliog yn aderyn hardd gyda
phen gwyrdd, bochau coch a chorff o
liw efydd, ond llwydfrown yw lliw'r
iâr. Bydd yn bwydo ar bryfetach a
hadau mewn caeau a choedwigoedd ac
mae miliynau yn cael eu rhyddhau bob
blwyddyn er mwyn eu saethu.

Barcud coch

Ffesantod

Adar

Petrisen goesgoch

Cornchwiglen

Colomen wyllt

Petrisen goesgoch
(*Alectoris rufa*; Red-legged partridge)
Aderyn o dde-orllewin Ewrop yn
wreiddiol ond caiff ei ryddhau yma er
mwyn ei saethu ar lawr gwlad yn ystod
tymor penodol bob blwyddyn. Gyda'i
big a'i goesau coch, llinell ddu o amgylch
gwddf gwyn, cefn llwydlas a llinellau du,
browngoch a gwyn ar yr ystlys, mae'n
hawdd i'w adnabod.

Cornchwiglen (*Vanellus vanellus*; Lapwing)
Fel yn achos llawer o adar eraill, mae
dulliau amaethu modern wedi achosi
dirywiad enbyd yn eu niferoedd. Mae'n
aderyn cyfarwydd, serch hynny, gyda
chefn gwyrdd, bol gwyn a chrib hir, du ar
dop y pen. Nytha ar y llawr, naill ai ar dir
sydd wedi ei aredig neu ar borfa wleb.

Colomen wyllt (*Columbo oenas*; Stock dove)
Colomen y ffermdir sy'n hoff o dir agored
ag ychydig o goed, lle bydd yn nythu yn
y tyllau. Mae'n debyg i ysguthan ond yn
llai o faint a heb unrhyw wyn ar y corff.
Gwelir heidiau bychain ohonyn nhw yn
bwydo ar gnydau.

Siglen fraith
(*Motacilla alba*;
Pied wagtail)
Aderyn du a gwyn sy'n
siglo'i gynffon hir i fyny ac
i lawr yn ddi-baid. Mae'n
gyffredin ar ffermydd, yn
enwedig o amgylch yr
adeiladau, lle bydd yn
bwydo ar bryfed.

Adar

Llinos (*Carduelis cannabina*; Linnet)
Aderyn y ffermdir sy'n prinhau, er ei
fod yn eithaf cyffredin mewn mannau ar
iseldir Cymru. Mae'n hoff o gymysgedd o
eithin, rhedyn a glaswelltir, lle gall nythu a
bwydo. Yn y gwanwyn, mae gan y ceiliog
ben llwyd, cefn brown, talcen coch a bron
binc. Yn y gaeaf, mae'n debyg i'r iâr ac
adar ifanc, gyda chorff brown, rhesog.

Llinos

Pioden (*Pica pica*; Magpie)
Aderyn cyfarwydd, trawiadol â phlu
du a gwyn sydd, mewn golau da, yn
ymddangos yn las a phorffor. Adeilada
nyth mawr a tho iddo mewn llwyni
a choed isel, ac fe'i gwelir yn aml yn
cerdded ar hyd y caeau yn chwilio am
fwydod, pryfed ac ysgerbydau.

Piod

Dryw (*Troglodytes troglodytes*; Wren)
Un o adar lleiaf a mwyaf niferus Cymru. Mae ganddo
gorff brown ac mae'n debyg i lygoden fach wrth iddo
gropian trwy lwyni a pherthi yn chwilio am bryfed.
Er ei faint, mae ei gân yn swnllyd iawn.

Dryw

Adar

Tylluan fach

Tylluan fach
(*Athene noctua*;
Little owl)
Tylluan fach sy'n aml i'w gweld yng ngolau dydd yn eistedd ar bostyn neu'n isel ar frigau coed. Mae ganddi gorff crwn, llwydfrown gyda smotiau mawr gwyn a llygaid mawr, melyn, a bydd yn hela mwydod, chwilod a phryfed yn bennaf. Nytha mewn tyllau mewn coed, yn enwedig coed helyg.

Mwyalchen

Brych y coed

Mwyalchen (*Turdus merula*; Blackbird)
Aderyn cyffredin iawn sydd i'w weld ar ffermdir ar hyd a lled Cymru. Mae gan y ceiliog gorff du, pig oren a chylch melyn o amgylch y llygad. Brown yw lliw'r iâr a'r adar ifanc. Bydd yn bwyta mwydod, pryfed, aeron a ffrwythau.

Brych y coed (*Turdus viscivorus*;
Mistle thrush)
Bronfraith fawr, swnllyd sy'n aml i'w gweld naill ai yn galw o gopa'r perthi neu'n bwydo ar fwydod mewn caeau. Mae'n llai lliwgar na'r fronfraith, a gwyn, nid hufen, sydd i'w weld o dan yr adain wrth iddi hedfan. Yn aml, bydd yn canu 'yn y glaw ac mae'r alwad yn debyg iawn i sŵn ratl.

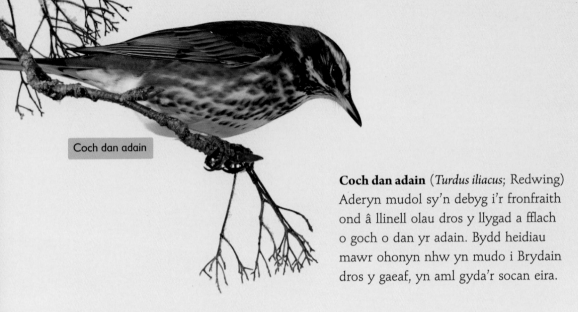

Coch dan adain

Coch dan adain (*Turdus iliacus*; Redwing)
Aderyn mudol sy'n debyg i'r fronfraith
ond â llinell olau dros y llygad a fflach
o goch o dan yr adain. Bydd heidiau
mawr ohonyn nhw yn mudo i Brydain
dros y gaeaf, yn aml gyda'r socan eira.

Bras melyn (*Emberiza citrinella*;
Yellowhammer)
Mae ceiliog bras melyn yn aderyn hardd
dros ben, gyda'i ben melyn a'i fron felen
a'i gefn browngoch. Mae'r iâr ac adar
ifanc yn fwy di-liw, gyda llai o felyn
a mwy o frown. Fe'i gwelir yn bennaf
ar dir rhedynog, yn enwedig mewn
ffriddoedd ar gyrion yr ucheldir. Bydd
yn bwydo ar hadau a phryfed, weithiau
o gwmpas buarth y fferm.

Bras melyn

Tinwen y garn (*Oenanthe oenanthe*;
Wheatear)
Ymwelydd yn ystod yr haf sydd i'w
weld ar ucheldir glaswelltog a chaeau
lle ceir waliau cerrig. Mae cefn glas,
bron wen a mwgwd du gan y ceiliog
ond brown yw cefn yr iâr. Ceir crwmp
gwyn, amlwg gan y ddau. Mae'n
weddol gyffredin ar ffermdir ucheldir
Cymru.

Tinwen y garn

Brân dyddyn

(*Corvus corone corone*; Carrion crow)
Aderyn mawr du, ond llai o faint na'r
gigfran. Mae'n debyg i'r ydfran ond yn
llai cymdeithasol, a phig tywyll sydd
ganddo. Bydd yn bwydo ar unrhyw beth,
o wyau a chywion adar bach i ffrwythau,
mwydod ac ysgerbydau.

Ydfran

Brân dyddyn

Ydfran (*Corvus frugilegus*; Rook)
Mae'r ydfran yn debyg iawn i'r frân
dyddyn ond bod gan yr oedolion fôn
golau i'r pig. Yn aml, gwelir yr ydfran
yn hel ei bwyd ar hyd y caeau mewn
heidiau mawr neu mewn nythfeydd
ar gopaon coed tal. Bydd yn bwydo ar
hadau, mwydod a phryfed yn bennaf.

Cigfran

Cigfran (*Corvus corax*; Raven)
Aderyn mawr, du, â
phig cadarn a chynffon
siâp diemwnt. Bydd yn
defnyddio'r pig i agor
ysgerbydau ond bydd hefyd
yn bwydo ar fwydod a
phryfed. Mae'n adeiladu
nyth mawr o frigau naill ai
ar glogwyni neu mewn
coed tal.

Adar

Trogod / Hislau

Parasitiaid yw trogod; maen nhw'n byw ar waed mamaliaid yn bennaf. Gallant lynu at groen pobol hefyd, ac mae hyn yn achosi clefyd Lyme, sy'n gallu bod yn afiechyd difrifol.

Bydd yr oedolyn benywaidd yn bachu ar anifail megis dafad neu fuwch, yn bwydo ar y gwaed, yna'n disgyn oddi ar yr anifail i ddodwy miloedd o wyau. Mae'r wyau yma wedyn yn datblygu'n larfâu gyda chwech o goesau, sydd yn eu tro yn bachu ar anifail ac yn bwydo ar waed. Mae'r larfa'n troi'n nymff ag wyth o goesau. Mae'r nymff yn bachu ar anifail, yn llenwi â gwaed, yna'n disgyn i ffwrdd ac yn datblygu'n oedolyn. Ar ôl i'r oedolion baru, mae'r cylch bywyd yn dechrau eto.

Gall trogod gael effaith ddifrifol ar les defaid ac ŵyn.

Tick Alert!

Ticks live in grasses and low shrubs.

Remain on trails and check yourself before leaving.

Molysgiaid

Gwlithen fawr ddu

(*Arion ater*; Large black slug)
Gwlithen gyffredin ym mhob cynefin ar dir sych. Ceir dau fath, un ddu ac un oren, ond yng Nghymru, yr un ddu yw'r fwyaf cyffredin. Bydd yn dodwy clwstwr o wyau golau o dan ddarnau o bren.

Gwlithen fawr ddu

Malwen wefus wen

Malwen wefus wen

(*Cepaea hortensis*; White-lipped snail)
Gall lliw'r gragen amrywio o felyn, i felyn â llinellau brown ond mae'r wefus yn olau. Malwen y perthi ydi hi'n bennaf.

Gwlithen rwyllog

(*Deroceras reticulatum*; Netted slug)
Er bod lliw'r corff yn amrywio, fel arfer mae'n frown golau gyda rhwydwaith o linellau brown tywyll arno. Mae'n ymddangos fel petai lympiau ar hyd y corff. Gwlithen gyffredin ar dir amaethyddol ac mewn gerddi.

Gwlithen rwyllog

Malwen wefus frown

(*Cepaea nemoralis*; Brown-lipped snail)
Malwen debyg iawn i'r falwen wefus wen ond bod y wefus yn frown. Mae'n gyffredin mewn perthi a choedwigoedd.

Malwen wefus frown

Cramenogion

Gwrachen ludw gyffredin

(*Oniscus asellus*; Common woodlouse)
Creadur cyffredin sy'n cuddio o dan gerrig, darnau o bren a rhisgl coed liw dydd ac yn mentro allan yn y nos. Fe'i gwelir mewn amryw o wahanol gynefinoedd.

Gwrachen ludw gyffredin

Amffibiaid

Madfall ddŵr gyffredin
(*Triturus vulgaris*; Smooth newt)
Anifail cyffredin mewn pyllau
dŵr yn y gwanwyn, ond weddill
y flwyddyn fe'i gwelir yn cuddio
o dan foncyffion a cherrig. Mae'r
gwryw yn lliwgar gyda chrib amlwg
a smotiau duon ar hyd y corff. Mae'r
fenyw yn frown golau heb grib.

Madfall ddŵr balfog (*Titurus helvetica*;
Palmate newt)
Anifail tebyg i'r fadfall ddŵr
gyffredin ond heb smotiau ar y
gwddf. Yn y tymor bridio mae gan
y gwryw draed ôl palfog ac edefyn
main ar flaen y gynffon. Allan o'r
dŵr, mae madfallod dŵr yn symud
yn araf.

Llyffant melyn / Broga
(*Rana temporaria*; Frog)
Creadur cyffredin gyda choesau ôl
cyhyrog sy'n byw mewn pyllau dŵr
a glaswellt hir ar y fferm. Gall lliw'r
corff amrywio ond fel rheol mae'n
wyrdd, yn frown neu'n dywodfrown
gyda smotiau a mwgwd tywyll.
Bydd yn dodwy grifft mewn
pyllau a llynnoedd rhwng
Ionawr a Mawrth.

Madfall ddŵr gyffredin

Madfall ddŵr balfog

Broga

Amffibiaid

Neidr ddefaid

Madfall

Ymlusgiaid

Madfall (*Lacerta vivipara*; Common lizard)
Anifail â chorff brown neu lwydfrown gyda smotiau a llinellau golau a thywyll o'r pen i'r gynffon. Fe'i gwelir yn aml yn torheulo ar wal gerrig neu foncyff, a gall symud yn gyflym iawn.

Neidr ddefaid (*Anguis fragilis*; Slow worm)
Anifail â chorff euraid neu arian sy'n debyg iawn i neidr fechan, ond madfall heb goesau ydyw mewn gwirionedd. Fe'i gwelir yn aml yn torheulo mewn llecynnau cynnes, cysgodol, neu o dan ddarnau o fetel ar y fferm. Mae'n bwyta gwlithod a phryfed.

Pryfed Cop / Corynnod

Copyn hela (*Pisaura mirabilis*; Nursery web spider)
Pryf cop cyffredin sydd i'w weld mewn glaswelltir rhwng Mai a Gorffennaf. Mae'r corff yn frown golau a cheir llinell felen ag ymylon tywyll ar y cefn. Mae'n hela ei brae a bydd y fenyw yn cario sach wyau o dan ei chorff, ond bydd yn adeiladu gwe siâp pabell i'r rhai bach cyn i'r wyau ddeor.

Copyn y blaidd / yr heliwr (*Pardosa lugubris*; Wolf spider)
Pryf cop cyffredin sy'n fwyaf amlwg rhwng Ebrill a Mehefin, pan fydd y fenyw yn cario sach wyau o gwmpas. Nid yw'n adeiladu gwe ond yn hela prae.

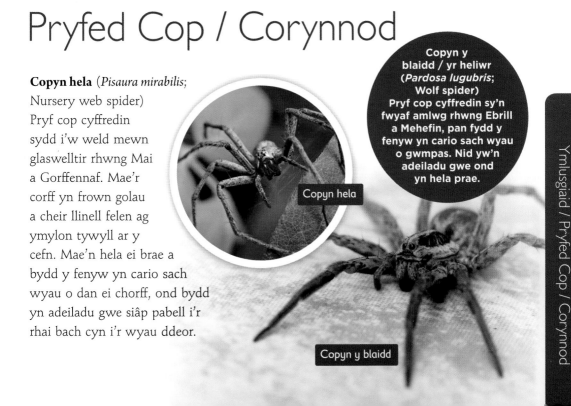

Copyn hela

Copyn y blaidd

Glöynnod Byw

Boneddiges y wig
(*Anthocharis cardamines*; Orange-tip)
Glöyn byw hardd sy'n hedfan yn y
gwanwyn, rhwng Ebrill a Mehefin. Dim
ond y ceiliog sydd â darn oren a blaen du
ar yr adain flaen, ond ceir patrwm tywyll
o dan adain ôl y ceiliog a'r iâr. Prif fwyd
y lindys yw blodyn llefrith.

Boneddiges y wig

Gweirlöyn y ddôl (*Maniola jurtina*;
Meadow brown)
Glöyn cyffredin sydd i'w weld yn hedfan
dros laswelltir rhwng Mehefin ac Awst.
Mae'r adenydd yn frown, gyda darn oren
a phâr o 'lygaid' ar yr adain flaen. Ceir
mwy o liw oren ar adain yr iâr, a gwair
yw bwyd y lindys.

Gweirlöyn y ddôl

Gweirlöyn y glaw
(*Aphantopus
hyperantus*; Ringlet)
Fe'i gwelir mewn llecynnau
glaswelltog lle bydd
yn hedfan ym Mehefin a
Gorffennaf, weithiau mewn
glaw mân. Mae'n löyn tywyll
a bydd nifer y 'llygaid' ar yr
adenydd yn amrywio'n
fawr. Gwair yw bwyd y
lindys.

Gweirlöyn y glaw

Hen Borfa

Hen gaeau a phorfeydd

Mae llawer o ddolydd a phorfeydd yng Nghymru, a gwelir clytwaith o gaeau ar y tir isel a rhannau mwy agored, bras ar yr ucheldir. Oherwydd y newid mawr mewn dulliau ffermio yn ystod yr hanner can mlynedd diwethaf, mae tua 99% o'r hen gaeau gwair wedi diflannu ers 1945.

Yn y gwanwyn caiff y gwartheg a'r defaid eu troi o'r dolydd neu'r caeau i adael i'r gwair neu'r silwair dyfu er mwyn ei dorri a'i gynaeafu fel porthiant ar gyfer y gaeaf. Mae sawl math gwahanol o wair yn tyfu yn y caeau, gan gynnwys perwellt y gwanwyn sy'n rhoi'r arogl braf ar wair newydd ei dorri. Os yw'r caeau yn cael eu cynaeafu yn y dull traddodiadol, yna gwelir amrywiaeth o flodau gwyllt yn tyfu drwy'r gwair ac ar ochrau'r caeau – rhai fel y bengaled, troed yr iâr, llygad llo mawr, heboglys, briallu Mair a blodyn menyn.

Llygad llo mawr

Gylfinir

Gylfinir

(*Numenius arquata*, Curlew)

Aderyn arall sydd wedi diflannu o ran helaeth o gefn gwlad Cymru. Mae gan y gylfinir gorff llwydfrown, coesau hir a phig hir sy'n troi tuag i lawr. Ceir smotiau brown tywyll ar hyd y corff a chrwmp gwyn, amlwg. Nytha ar y llawr ymysg tyfiant tal mewn caeau gwair a gweunydd.

Cadwyn Fwyd

Mewn cadwyn fwyd mae darnau bach o faeth yn symud o blanhigion i anifeiliaid bach wrth iddynt fwyta'r planhigion. Bydd anifeiliaid mwy, yn eu tro, yn bwyta'r anifeiliaid llai, ac yn y diwedd bydd anifail neu aderyn ysglyfaethus yn bwyta'r rhai canolig eu maint. Pan fydd y rhain yn marw a'r corff yn pydru, mi fyddan nhw'n dadelfennu a'r elfennau syml yn mynd yn ôl i'r pridd i roi bywyd newydd i blanhigion.

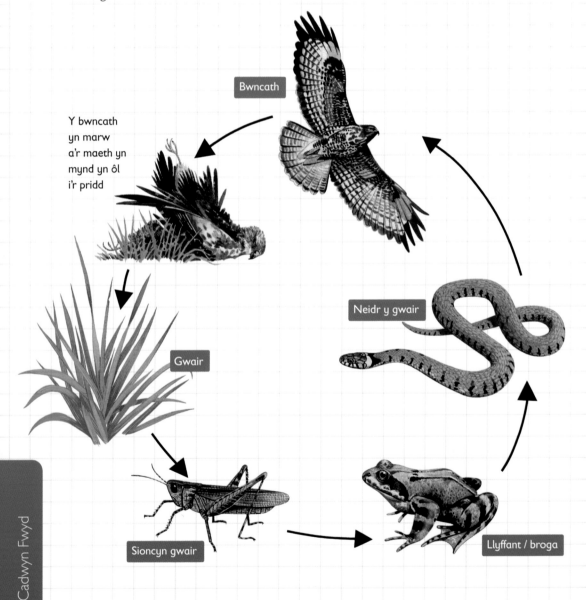

Bwncath

Y bwncath yn marw a'r maeth yn mynd yn ôl i'r pridd

Neidr y gwair

Gwair

Sioncyn gwair

Llyffant / broga

Ffyngau

Madarch cylch (*Marasmius oreades*; Fairy-ring champignon)
Ffwng sy'n tyfu mewn cylchoedd ar lawntiau a chaeau gwair. Fel arfer mae'r cap a'r goes yn frown golau a'r tagellau yn wyn. Mae'n gyffredin iawn yn yr hydref.

Madarch y maes (*Agaricus campestris*; Field mushroom)
Ffwng cyfarwydd sy'n tyfu ar laswelltir rhwng Awst a Hydref. Mae'r cap a'r goes yn olau, a phinc yw'r tagellau ar y dechrau, ond yn troi'n frown wrth aeddfedu. Mae'n flasus dros ben.

Madarch cylch

Madarch y maes

Cap inc carpiog
(*Coprinus comatus*; Shaggy ink cap)
Ffwng unigryw sy'n tyfu ar laswelltir neu ochr y ffordd rhwng Awst a Thachwedd. I ddechrau, mae'r cap gwyn, carpiog yn siâp wy ond, yn raddol, mae'n agor allan yn siâp ymbarél. Yn raddol hefyd mae'r cap a'r tagellau'n tywyllu ac yn troi'n hylif a ddefnyddid ar un adeg fel inc. Mae'n gyffredin yn yr hydref.

Trychfilod

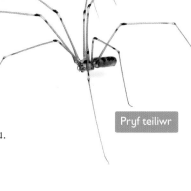

Pryf teiliwr / Jac y baglau (*Tipula paludosa*; Daddy-long-legs)
Nid yw hwn yn gallu hedfan yn bell â'i goesau'n hongian
oddi tano, ac mae'n gyffredin iawn ar laswelltir a lawntiau.
Mae'r larfa'n byw yn y pridd gan fwyta gwreiddiau a
choesau planhigion a bydd yr oedolion yn hedfan rhwng
Awst a Hydref.

Pryf teiliwr

Pryf y tail

Pryf y tail (*Scatophaga stercoraria*;
Yellow dung fly)
Gwelir heidiau o bryfed melyn,
gwrywaidd yn aros am bryfed benywaidd
ar faw gwartheg rhwng Mawrth a
Hydref. Ar ôl paru, bydd yr iâr yn dodwy
wyau yn y baw. Mae'r oedolion yn
bwyta pryfed eraill. Pryf cyffredin ledled
Cymru.

Sioncod Gwair

Sioncyn gwyrdd cyffredin
(*Omocestus viridulus*;
Common green grasshopper)
Sioncyn gwair cyffredin gyda
chorff gwyrdd a chrib ar dop
y pen.

Sioncyn gwyrdd cyffredin

Sioncyn gwair cyffredin

Sioncyn gwair cyffredin (*Chorthippus
brunneus*; Common field grasshopper)
Mae'n hoffi pob math o laswelltir sych.
Ceir patrwm brown, hufen a du ar hyd
y corff.

Cacwn a Gwenyn

Picwnen / Gwenynen farch gyffredin
(*Vespula vulgaris*; Common wasp)
Picwnen debyg i wenynen farch yr
Almaen ond gyda siâp angor du ar yr
wyneb. Mae'n gyffredin, yn enwedig
rhwng Mehefin a Medi, a bydd yn
adeiladu nyth brown golau, fel papur, o
dan y ddaear neu mewn adeilad.

Gwenynen farch gyffredin

Picwnen / Gwenynen farch yr Almaen
(*Vespula germanica*; German wasp)
Picwnen gyffredin, ddu a melyn, â thri
smotyn ar yr wyneb. Mae'n adeiladu
nyth llwyd, fel papur, o dan y ddaear neu
mewn adeilad.

Gwenynen farch yr Almaen

Cacynen gyffredin (*Bombus terrestris*;
Buff-tailed bumble bee)
Cacynen gyffredin gyda chorff du, llinell
felen lydan ar flaen y thoracs ac ar yr
abdomen a phen ôl lliw hufen. Ar ôl
gaeafgysgu, daw'r frenhines allan ar
ddiwrnodau braf ym mis Ebrill i chwilio
am flodau. Bydd yn adeiladu nyth mewn
tyllau, yn aml mewn hen dwll llygoden o
dan y ddaear.

Cacynen gyffredin

Cacynen dingoch
(*Bombus lapidarius*;
Red-tailed bumble bee)
Cacynen gyfarwydd
sydd â chorff du a phen ôl
orengoch. Bydd y frenhines
yn ymddangos ym mis
Mai ar ôl gaeafgysgu ac
yn chwilio am dwll i
adeiladu nyth.

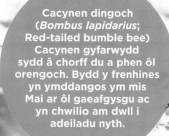

Trychfilod

Chwilen ddu

Larfa

Chwilod

Chwilen ddu (*Pterostichus madidus*; Ground beetle)
Chwilen gyffredin sy'n crwydro'r tir liw nos ac yn cuddio o dan gerrig a darnau o bren yn y dydd. Mae ganddi gorff du, sgleiniog a choesau coch, ac er ei bod yn chwilen reibus, bydd hefyd yn bwyta ffrwythau. Nid yw'n hedfan.

Chwilen y bwm (*Melolontha melolontha*; Cockchafer)
Fe'i gelwir hefyd yn chwilen Mai gan fod yr oedolion i'w gweld ym Mai a Mehefin. Chwilen â chorff mawr browngoch a phen ôl main. Mae'r larfa'n byw yn y pridd am flynyddoedd yn bwyta gwreiddiau gwair a phlanhigion eraill.

Chwilen sowldiwr (*Rhagonycha fulva*; Soldier beetle)
Chwilen gyffredin gyda chorff oren sy'n aml i'w gweld ar flodau efwr a chreulys yn hela pryfed. Rhwng Mai ac Awst mae'r oedolion yn hedfan.

Chwilen sowldiwr

Cylch Bywyd Llyngyren yr Iau

(*Fasciola hepatica*; Liver fluke)

Gall llyngyr yr iau gael effaith ddifrifol ar wartheg a defaid. Mae cylch bywyd llyngyren yr iau yn un cymhleth.

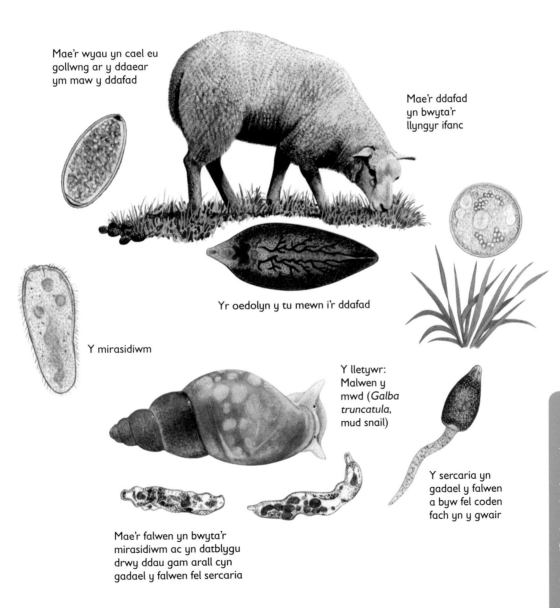

Mae'r wyau yn cael eu gollwng ar y ddaear ym maw y ddafad

Mae'r ddafad yn bwyta'r llyngyr ifanc

Yr oedolyn y tu mewn i'r ddafad

Y mirasidiwm

Y lletywr: Malwen y mwd (*Galba truncatula*, mud snail)

Y sercaria yn gadael y falwen a byw fel coden fach yn y gwair

Mae'r falwen yn bwyta'r mirasidiwm ac yn datblygu drwy ddau gam arall cyn gadael y falwen fel sercaria

Dŵr

Mae cyflenwad o ddŵr glân yn hanfodol i fywyd fel y gwyddom amdano ar wyneb y ddaear. Mae glaw yn disgyn ar y mynyddoedd a'r bryniau ac yn llithro dros y llethrau gan greu nentydd bach sydd yn eu tro yn cyfuno i ffurfio afonydd. Wrth i'r afon lifo i'r môr, mae'n fyrlymus yn y mynyddoedd ond yn llonyddu ar dir gwastad gan ffurfio pyllau a llynnoedd. Mae'r rhain i gyd yn gynefinoedd gwych i amrywiaeth eang o fywyd gwyllt.

Gwas neidr mudol

Gwybedyn Mai

Dyfrgi

Blodyn llefrith / Llaeth y gaseg

Bronwen y dŵr

Llyffant melyn

Broga

Broga / Llyffant dafadennog

Broga / Llyffant dafadennog

(*Bufo bufo*; Toad)

Anifail tebyg i'r llyffant melyn, ond bod y croen dafadennog yn sych a thywyll. Fe'i gwelir yn aml yn llochesu yng ngolau dydd o dan ddarnau o bren neu fetel, ac mae'n dodwy cortyn hir o wyau mewn pyllau dwfn yn y gwanwyn.

Crafanc-y-frân y dŵr

Rhiain y dŵr

Grifft llyffant

Madfall gyffredin

Gele

Crothel dri phigyn

Penbwl

Madfall balfog

Chwilen y dŵr

Larfa gwas y neidr

Perllan

Roedd perllannau yn gyffredin mewn ffermydd erstalwm, ac mae rhai i'w cael o hyd. Roedd coed afalau a choed gellyg, er enghraifft, yn cael eu tyfu er mwyn cael ffrwythau dros y gaeaf.

Yn aml iawn, byddai ieir yn cael eu gollwng yn rhydd i grafu dan y coed yn y berllan er mwyn cael gwell blas ar yr wyau. Yma, hefyd, bydd gwenynwyr yn gosod eu cychod gwenyn er mwyn cael mêl.

Coeden eirin (*Prunus*; Plum tree)
Mae coed eirin yn hyfryd yn eu blodau gwynion yn y gwanwyn ac yn denu pryfetach o bob math. Mae'r eirin aeddfed ym mis Medi yn denu glöynnod byw fel y fantell goch i fwydo ar y sudd yn yr eirin.

Coeden eirin

Y Fêl-wenynen

(*Apis mellifera*; Honey bee)

Mae'r fêl-wenynen yn un o'r creaduriaid pwysicaf yn hanes y ddaear. Mae'n chwarae rhan allweddol yn y broses o beillio llawer o'n cnydau yn ogystal â rhan helaeth o'n blodau a'n coed. Hebddi, byddai'r byd yn newid dros nos.

Ceir hyd at 100,000 o wenyn, sy'n cael eu rheoli gan un frenhines, mewn nythfa. Hi sy'n dodwy'r wyau i gyd. Mae gan y gweithwyr benywaidd gewyll arbennig ar y ddwy goes ôl lle byddant yn cludo paill a neithdar yn ôl i'r

**Coeden afalau
(*Malus domestica*;
Apple tree)**
Mae gwahanol goed afalau yn rhoi afalau bwyta ac afalau ar gyfer coginio. Ym mis Mai bydd y blodau pinc a gwyn yn denu gwenyn. Mae'n hyfryd gwrando arnynt yn suo wrth gasglu neithdar a phaill.

Coeden gellyg

Coeden gellyg (*Pyrus*; Pear tree)
Ambell dro, ar lawr gwlad, bydd coed gellyg yn cael eu tyfu er mwyn cael y ffrwyth.

Coeden afalau

nyth. Wrth hedfan o flodyn i flodyn i chwilio am fwyd, bydd y wenynen yn ffrwythloni'r planhigion.

Mae'r cysylltiad agos rhwng dyn a'r fêl-wenynen yn mynd yn ôl filoedd o flynyddoedd – defnyddir mêl a chŵyr fel bwyd, meddyginiaethau a chynnyrch masnachol – ond drwy ddinistrio coedlannau, hen berllannau a chaeau gwair llawn blodau, a thrwy ddefnyddio cemegau gwenwynig ar y tir, mae dyn wedi achosi cwymp aruthrol yn eu niferoedd.

Erstalwm roedd pob fferm yn cadw ieir a gwyddau, ac ambell dro yn cadw tyrcwn hefyd. Mae llawer gwell blas ar wyau ieir sydd wedi cael eu gadael i grwydro'n rhydd ar hyd y berllan neu'r caeau.

Ieir

Ieir, Gwyddau a Thyrcwn

Ieir

Mae nifer o ffermydd cymysg yn dal i gadw ieir, er bod tuedd i fridio ieir ar ffermydd sy'n canolbwyntio'n gyfan gwbl ar fagu ieir. Wedi i'r ceiliog sathru'r iâr, bydd yr iâr yn dodwy wyau mewn nyth ac yn gori arnyn nhw. Fel rheol, bydd y cywion yn deor tuag adeg y Pasg.

Gwyddau

Gwyddau

Os oedd pwll o ddŵr ar y fferm, roedd ffermwr yn aml yn cadw gwyddau, gan ofalu eu bod yn cael digon o fwyd er mwyn iddyn nhw besgi. Yna, byddent yn cael eu gwerthu yn y marchnadoedd adeg y Nadolig.

Tyrcwn

Byddai llawer o ffermydd hefyd yn magu tyrcwn er mwyn eu gwerthu at y Nadolig. Byddai un diwrnod, ychydig cyn y Nadolig, yn cael ei neilltuo i ladd y tyrcwn, eu pluo a'u glanhau fel eu bod yn barod i'w gwerthu ar gyfer cinio Nadolig.

Tyrcwn

Ieir, Gwyddau a Thyrcwn

Gwartheg, Defaid a Moch

Gwartheg

Yng Nghymru, gwartheg a defaid yw'r prif anifeiliaid sy'n cael eu ffermio. Ychydig iawn o ffermio cymysg sydd erbyn hyn ac mae gwartheg naill ai'n cael eu cadw ar gyfer cynhyrchu llaeth neu i gynhyrchu cig.

Ar yr ucheldir, defaid sydd yn cael eu magu yn bennaf, yn ogystal â gwartheg duon Cymreig.

Defaid

Mae rhai yn dal i gadw moch ar gyfer eu cig, ac ambell ffermwr erbyn hyn yn gwerthu'r cig ei hun ar ffurf byrgers a selsig.

Moch

Coed

Hyd at bedair mil o flynyddoedd yn ôl roedd coedwig anferth yn gorchuddio llawer o'r wlad. Yn raddol, cliriwyd hyd at 90% o'r hen goedwig gan ffermwyr a masnachwyr er mwyn adeiladu llongau, tai ac ati. Yn fuan ar ôl diwedd yr Ail Ryfel Byd, penderfynwyd plannu miloedd o goed yn eu lle, conwydd estron yn bennaf.

Cafodd y rhan fwyaf o'r coed bythwyrdd yma eu plannu yn yr ucheldir ac maen nhw, yn ogystal â miloedd o filltiroedd o berthi, yn gynefin pwysig iawn i amrywiaeth eang o blanhigion ac anifeiliaid.

Adar y coed oedd y robin goch, yr aderyn du a'r ji-binc cyn mentro i'n gerddi. Bydd y gnocell fraith fwyaf a thelor y cnau hefyd yn hoff o goedlannau bychain, yn enwedig rhai coed collddail. Mae coedlannau hefyd yn rhoi lloches i gwningod, wiwerod llwyd, moch daear a llwynogod.

Mae briallu, llygad Ebrill a blodau'r gwynt yn gyfarwydd iawn ar gyrion coedlannau, ac yn denu pryfetach a glöynnod. Mae ffyngau, rhedyn a chen yn ffynnu, ac mae creaduriaid di-asgwrn-cefn yn byw ar y coed ac o dan y dail pydredig ar y llawr. Heb os, mae coedlannau yn ychwanegu'n fawr at gyfoeth bywyd gwyllt y fferm.

Bedwen arian (*Betula pendula*; Silver birch) Mae'r rhisgl yn arian neu'n llwyd ac mae'n goeden osgeiddig, hardd. Bydd yn aml yn tyfu o flaen coed eraill. Mae'r cynffonnau ŵyn bach yn ymddangos yn ystod misoedd Ebrill a Mai.

Bedwen arian

Derwen ddigoes

Derwen ddigoes (*Quercus petraea*; Sessile oak / Welsh oak)
Dyma'r goeden sydd i'w gweld ar ucheldir Cymru fel rheol. Mae'r blodau fel cynffonnau ŵyn bach ym mis Mai. Mae'r mes heb goesynnau, bron, a dyna pam mae'r goeden yn cael ei galw'n dderwen ddigoes, ac mae cen gwlanog ar gwpanau'r mes.

Helygen

Helygen (*Salix*; Willow)
Mae'n tyfu mewn mannau gwlyb. Yn gynnar yn y gwanwyn bydd y gwyddau bach (neu'r cywion gwyddau neu'r cwt gwyddau bach), sef yr antherau, yn felyn hardd ac yn rhoi paill cynnar. Mae'r rhain yn bwysig iawn i gacwn a'r fêl-wenynen yn arbennig.

Criafolen

Criafolen / Cerddinen (*Sorbus acuparia*; Rowan / Mountain ash)
Mae hon yn gyffredin ar yr ucheldir ac ar dir gwlyb. Gwelir blodau gwyn arni ym mis Mai ac aeron coch ym mis Awst. Mae brych y coed yn hoff iawn o'u bwyta ddiwedd yr haf.

Onnen (*Fraxinus excelsior*; Ash)
Coeden sy'n tyfu'n dal ac yn hoffi tir calchaidd. Mae'r ffrwythau – yr allweddau – yn amlwg yn yr hydref.

Onnen

Coed

Gwrychoedd a Pherthi

Mae gwrychoedd a pherthi yn aml yn ffurfio terfyn rhwng caeau. Gallan nhw greu clawdd terfyn rhwng ffermydd cyfagos, felly mae'r coed a'r llwyni sy'n ffurfio'r gwrychoedd yn rhan bwysig iawn o gynefin y fferm. Maen nhw hefyd yn llecynnau ardderchog ar gyfer bywyd gwyllt ac yn goridorau i anifeiliaid ac adar deithio ar eu hyd o un lle i'r llall.

Draenen ddu (*Prunus spinosa*; Blackthorn)
Llwyn cyffredin, pigog iawn a geir mewn gwrychoedd. Bydd blodau gwyn yn ymddangos ym mis Mawrth cyn y dail, a ffrwythau (eirin perthi neu eirin tagu) i'w gweld yn yr hydref.

Collen (*Corylus avellana*; Hazel)
Coeden sy'n aml yn cael ei phrysgoedio a'i defnyddio fel rhan o wrych. Mae'r cynffonnau ŵyn bach (y blodau gwrywaidd) yn hardd yn y gwanwyn a'r blodau benywaidd yn rhoi cnau yn yr hydref.

Celynnen (*Ilex aquifolium*; Holly)
Coeden fythwyrdd ac addurn cyfarwydd adeg y Nadolig. Mae'n gyffredin mewn gwrychoedd neu berthi a choedlannau. Mae coed gwrywaidd a rhai benywaidd, ac ar y coed benywaidd y bydd yr aeron coch yn tyfu.

Draenen ddu

Collen

Celynnen

Draenen wen (*Crategus monogyna*; Hawthorn)
Coeden fwyaf cyffredin y gwrych neu'r berth, ac yn ffurfio gwrych pigog, trwchus. Mae blodau gwyn i'w gweld yn niwedd Mai a dechrau Mehefin ar ôl y dail, ac aeron coch (eirin moch) i'w gweld ym mis Medi sy'n gynhaliaeth i adar a mamaliaid bach yn ystod yr hydref.

Draenen wen

Coeden afalau surion bach (*Malus sylvestris*; Crab apple)
Coeden sy'n gyfarwydd mewn gwrychoedd. Mae blodau gwyn â gwawr binc yn ymddangos arni ym mis Mai ac afalau bach gwyrdd yn aeddfedu erbyn diwedd yr haf.

Bwncath

Tinwen y garn

Madfall

Cacynen

Y porthor

Gwlithen fawr ddu

Sioncyn gwair

Llygoden bengron goch

Neidr ddefaid

Llwynog / Cadno (*Vulpes vulpes*; Fox)
Anifail cyfarwydd iawn sydd wedi cael ei erlid am ganrifoedd gan ei fod, ar adegau, yn lladd ieir, hwyaid ac ŵyn bach. Mae'n hawdd ei adnabod gan ei fod yn debyg i gi oren-goch gyda chynffon drwchus a blaen gwyn arni. Mae'n geni'r cenawon mewn daear danddaearol ac yn treulio llawer o'r dydd yno.

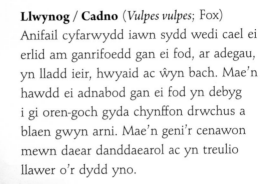

Llwynog / Cadno

Wal Gerrig

Mae waliau cerrig yn ogystal â chloddiau a gwrychoedd i'w gweld yn aml ar ffermydd yn ffurfio terfyn i gaeau a ffriddoedd a wal derfyn i ffermydd. Maen nhw'n cynnig lloches a llwybrau i amrywiaeth o adar ac anifeiliaid bach. Byddan nhw hefyd yn cynnig cynhesrwydd ar ddiwrnodau heulog i anifeiliaid fel glöynnod byw ac anifeiliaid gwaed oer fel ymlusgiaid ac amffibiaid. Yn aml iawn bydd llwybrau troed yn croesi tir fferm ac mae'r rhain hefyd yn cynnig cynefin cyfoethog.

Chwilen ddu

Llygoden y maes

Blodau'r Llwybrau

Ar y rhan fwyaf o ffermydd mae llwybrau troed sy'n arwain drwy wahanol gynefinoedd. Dyma rai o'r blodau mwyaf cyffredin sydd i'w gweld ar wrychoedd a chloddiau, ac wrth ochr y llwybrau.

Briallu (*Primula vulgaris*; Primrose)
Blodyn lluosflwydd, cyffredin, sy'n nodweddiadol o gloddiau pridd yn y gwanwyn. Mae'n blodeuo rhwng Chwefror a Mai.

Fioled / Crinllys (*Viola riviniana*; Common dog-violet)
Planhigyn lluosflwydd sy'n tyfu ar gloddiau, mewn glaswelltir ac ar lwybrau'r goedwig. Mae i'w weld yn bennaf rhwng Mawrth a Mai.

Briallu Mair (*Primula veris*; Cowslip)
Mae briallu Mair yn gyffredin ar dir calchaidd. Ceir tua deg o flodigion bach ar un ochr i'r pen, a bydd yn blodeuo rhwng Mawrth a Mai.

Briallu

Fioled neu Crinllys

Briallu Mair

Blodau'r Llwybrau

Llydan y ffordd

Helyglys hardd

Llydan y ffordd (*Plantago major*; Greater plantain)

Mae hwn yn gyffredin dan draed ar lwybrau ac ochrau'r ffyrdd, ac mae iddo ddail llydan nodweddiadol. Defnyddid y dail i drin clwyfau — maen nhw'n gallu atal llif y gwaed o friw mewn ychydig funudau. Byddai'r ddeilen yn cael ei malu neu ei chnoi, oedd yn rhyddhau cemegau allai atal llif y gwaed.

Helyglys hardd (*Chamerion angustifolium*; Rosebay willowherb)

Blodyn tal, cyfarwydd ar dir anial a choetir wedi'i glirio; mae'n blodeuo rhwng Gorffennaf a Medi.

Clust y llygoden

Clust y llygoden (*Hieracium pilosella*; Mouse-ear hawkweed)

Blodyn melyn, sydd ddim yn annhebyg i ddant y llew. Mae'n tyfu ar gloddiau a thir glaswelltog, sych ac yn gyffredin iawn.

Blodyn menyn

Blodyn menyn (*Ranunculus acris*; Meadow buttercup)

Blodyn cyfarwydd iawn efo'i betalau melyn, sgleiniog. Bydd plant yn dal petal at wddw plentyn arall ac os yw'r lliw melyn yn cael ei adlewyrchu ar y gwddw, yna mae'r plentyn yn hoff o fenyn.

Blodau a Chnydau'r Tir Âr

Mae llawer o gnydau yn cael eu tyfu ar ffermydd, ac amrywiadau o weiriau ydi nifer o'r cnydau hyn. Ŷd ydi'r enw sy'n cael ei roi ar unrhyw weiryn sy'n cael ei dyfu er mwyn cynhyrchu grawn. Erstalwm, byddai'r ŷd yn cael ei dorri â phladur. Byddai'n cael ei roi mewn ysgubau yn gyntaf, wedyn byddai'r ysgubau'n cael eu rhoi mewn styciau ar hyd y cae. Byddai'r dyrnwr yn dod i'r fferm a'r grawn yn cael ei ddyrnu er mwyn cael yr ŷd (yr hadau). Byddai'r gwellt yn cael ei gadw er mwyn ei roi dan yr anifeiliaid. Erbyn heddiw, mae peiriannau anferth yn torri'r ŷd, yn casglu'r grawn ac yn didoli'r gwellt ar y cae. Grawn fel hyn sy'n cael ei ddefnyddio er mwyn gwneud grawnfwyd i ni – pethau fel uwd, bisgedi a grawnfwyd.

Ceirch (*Avena sativa;* Oats)
Credir bod ceirch wedi datblygu o weiryn oedd yn tyfu ganrifoedd yn ôl. Tyfir ceirch yn rhannau tymherus y byd.

Ceirch

Barlys (*Hordeum vulgare;* Barley)
Defnyddir barlys fel bwyd i anifeiliaid ac i fragu. Mae grawn wedi'i fragu yn cael ei ddefnyddio i wneud cwrw, wisgi, melysion fel Maltesers a diodydd fel Horlicks.

Barlys

Caseg fedi

Caseg fedi

Yn draddodiadol, ar ddiwedd y cynhaeaf ŷd byddai'r darn olaf o ŷd yn cael ei adael i sefyll a byddai un o'r gweision yn ei blethu'n grefftus. Yna byddai'r medelwyr yn sefyll yn un rhes gan daflu'r cryman i geisio torri'r darn olaf. Byddai'r gaseg fedi wedyn yn cael ei defnyddio fel addurn yn y tŷ.

Gwenith

Gwenith
(*Triticum*; Wheat)
Mae gwenith yn cael ei dyfu dros y byd i gyd, a chredir mai dyma un o'r gweiriau cyntaf i gael ei dyfu ar raddfa eang.

Ar ochrau caeau lle tyfir cnydau, gwelir amrywiaeth o flodau sydd fel arfer yn denu trychfilod o bob math.

Mandon las yr ŷd (*Sherardia arvensis*; Field madder)
Planhigyn unflwydd, llorweddol, sy'n tyfu'n flêr. Mae'n flodyn cyffredin, tlws, sy'n tyfu ar laswelltiroedd a chaeau âr, yn arbennig ar dir calchaidd.

Mandon las yr ŷd

Pabi coch (*Papaver rhoeas*; Corn poppy)
Bydd y pabi coch weithiau'n ymddangos mewn niferoedd mawr, gan baentio tir âr a chaeau ŷd a thir anial yn goch cyfoethog. Roedd y pabi coch yn tyfu ar hyd maes y gad ar y Somme ar ôl yr ymladd yn 1916, a daeth yn symbol o faes y gad, ac yn ddiweddarach o'r cadoediad.

Pabi coch

Blodau a Chnydau'r Tir Âr

Blodau'r Gwlyptir

Brwynen babwyr (*Juncus effusus*; Soft-rush)
Mae'n tyfu mewn clystyrau mawr mewn mannau gwlyb ac yn arbennig ar ochrau ffosydd a nentydd. Byddai hon yn cael ei defnyddio i wneud canhwyllau erstalwm.

Blodyn llefrith / Llaeth y gaseg
(*Cardamine pratensis*;
Cuckoo flower / Lady's smock)
Caiff ei weld fel arwydd o'r gwanwyn am ei fod yn blodeuo pan fydd y gog yn canu yn ystod Ebrill a Mai.

Brwynen babwyr

Blodyn llefrith

Byddon chwerw

Gold y gors
(*Caltha palustris*;
Marsh marigold)
Blodyn mawr eurfelyn llachar sydd i'w weld mewn corsydd a thir gwlyb yn gynnar yn y gwanwyn. Mae'n wenwynig a bydd anifeiliaid yn ei osgoi.

Carpiog y gors

Erwain

Llysiau'r milwr coch

Byddon chwerw (*Eupatorium cannabinum*;
Hemp agrimony)
Planhigyn mawr â dail sy'n debyg i ddail
canabis (*Cannabis sativa*). Wedi i'r blodau
aeddfedu a mynd i had, maen nhw'n
edrych yn debyg i gandi-fflos.

Carpiog y gors (*Lychnis flos-cuculi*;
Ragged Robin)
Mae golwg fratiog, garpiog ar y blodau
pinc yma. Dydyn nhw ddim mor
gyffredin erbyn hyn oherwydd diflaniad
hen weirgloddiau.

Erwain (*Filipendula ulmaria*;
Meadowsweet)
Erstalwm roedd yn arfer cael ei wasgaru
ar lawr yn y tŷ er mwyn rhoi arogl braf
yno.

Llysiau'r milwr coch (*Lythrum salicaria*;
Purple loosetrife)
Mae'n ffurfio clystyrau ar lannau afonydd
a nentydd. Mae'r hadau gludiog yn cael
eu gwasgaru ar draed a phlu adar dŵr.

Gellesg (*Iris pseudacorus*; Yellow flag)
Blodyn melyn, tal, trawiadol, a cheir
lliwur du o'r gwreiddiau. Mae cacwn yn
ymweld â'r blodau'n aml a gwasgerir yr
had drwy arnofio ar wyneb y dŵr.

Gellesg

Blodau'r Ucheldir

Y blodau sydd fwyaf amlwg ar yr ucheldir ydi'r gweiriau. Ond gan nad ydyn nhw'n debyg iawn i flodau, dydyn ni ddim yn arfer meddwl amdanyn nhw fel blodau. Fflurgainc ydi'r enw sy'n cael ei roi ar flodyn y gweiriau. Llabed ydi enw'r darn bach rhwng y coesyn a'r dail, ac mae hwn yn cael ei ddefnyddio i adnabod y gwahanol weiriau.

Cloch yr eos / Cloch y bugail (*Campanula rotundifolia*; Harebell) Planhigyn lluosflwydd, main, sy'n tyfu ar laswelltir sych, cloddiau a rhostir.

Peisgwellt y defaid (*Festuca ovina*; Sheep's fescue)
Dim ond esgus o haen wen yw'r llabed ac mae gwawr werdd ar y fflurgainc. Mae'r llafn yn tyfu'n wyrdd, yn fyr ac yn galed o'r gwaelod, ac mae'r ddeilen fel weiren.

Peisgwellt y defaid

Perwellt y gwanwyn / Chwyth yr ŵydd
(*Anthoxanthum odoratum*; Sweet vernal grass)
Mae'n fwy o goes nag o ddeilen ac felly dydi anifeiliaid ddim yn hoff iawn ohono. Mae arogl braf ar hwn ar ôl ei dorri. Cemegyn o'r enw cwmin sy'n rhoi'r arogl hyfryd yma ar wair sydd newydd ei dorri.

Perwellt y gwanwyn

Tresgl y moch

Llafn y bladur

Tresgl y moch (*Potentilla erecta*;
Tormentil)
Planhigyn lluosflwydd, cain, sy'n
gyffredin ar waun a rhos ac yn arbennig
yn yr ucheldir ac ar y mynyddoedd. Mae
ei bresenoldeb yn dangos fod y tir yn
asidig. Mae'r gwreiddiau yn rhoi lliwur
coch, a ddefnyddid erstalwm ar gyfer trin
lledr.

Llafn y bladur (*Narthecium ossifragum*;
Bog asphodel)
Planhigyn sy'n tyfu ar gorsydd, rhostir
a gweunydd gwlyb. Mae'r blodau a'r
coesyn blodeuog yn troi'n oren tywyll
ar ôl blodeuo. Arferid ei ddefnyddio fel
lliwur ac un o'i ddefnyddiau, fel henna,
oedd rhoi lliw i wallt merch. Mae'r
planhigyn yn wenwynig i ddefaid.

**Grug y mêl
(*Erica cinerea*;
Bell heather)**
Mae'r blodau
peraroglus yn
ffynhonnell bwysig
o neithdar i'r
fêl-wenynen.

Blodau'r Ucheldir

Adeiladau Fferm

Mae waliau cerrig hen ffermdai ac ysguboriau yn gynefinoedd cyfoethog i falwod, llygod, ystlumod a phryfed lludw, yn ogystal â phlanhigion fel duegredyn y muriau a thrwyn y llo. Bydd adar y to a drudwy yn nythu mewn tyllau o dan y bondo, a gwenoliaid y bondo'n adeiladu nythod o fwd yno. Mae jac-y-do hefyd yn ddigon parod i adeiladu nyth o frigau yn nhyllau simdde hen dai.

Gall hen domen dail fod yn gynefin gwych i ddanadl poethion. Yma bydd y fantell goch a'r trilliw bach yn dodwy eu hwyau, a bydd lindys gwalch-wyfyn helyglys yn bwydo ar yr helyglys sy'n tyfu o amgylch yr adeiladau. Bydd hadau ceirch a gwenith a gollir ar hyd y buarth yn denu adar fel y ji-binc a bras yr ŷd, yn ogystal â llygod bach a llygod ffyrnig.

Tu mewn i'r beudai ac adeiladau eraill bydd pryfed cop ac ystlumod yn ymgartrefu, a gall y dylluan wen nythu ymysg y byrnau gwair. Erstalwm, roedd ffermwyr yn ceisio denu'r dylluan gan ei bod yn hela llygod a llygod ffyrnig. Hyd heddiw, mae'r dylluan wen yn ffrind gwerthfawr i'r ffermwr.

Gyda'r nos, bydd yr ystlumod yn bwydo ar bryfed o amgylch yr adeiladau a'r coedlannau, a gyda'r gwyll bydd y dylluan wen yn hela dros y caeau a'r perthi. Ddydd a nos, mae'r buarth a'r adeiladau yn llefydd prysur tu hwnt.

Yr ystlum lleiaf

Yr ystlum lleiaf (*Pipistrellus pipistrellus*; Pipistrelle bat) Ystlum lleiaf a mwyaf cyffredin Cymru. Mae ganddo ffwr brown tywyll ar y corff ac wyneb fel ci bach. Fe'i gwelir yn hela pryfed ar hyd perthi, mewn gerddi ac o gwmpas tai, a bydd yn clwydo mewn adeiladau.

Tylluan wen

**Tylluan wen
(*Tyto alba*; Barn owl)**
Tylluan olau, hardd, sy'n hedfan yn araf ar adenydd hir. Mae'n hoff o hela llygod dros gaeau gwair a chorsydd, a bydd yn aml yn nythu mewn adfeilion, ysguboriau neu dyllau mewn coed. Mae ganddi gefn melynllwyd, smotiog, bol gwyn ac wyneb siâp calon.

Llygoden ffyrnig

Cwningen

Llygoden ffyrnig (*Rattus norvegicus*; Brown rat)
Anifail cyffredin iawn sy'n byw mewn amryw o gynefinoedd ac yn ffynnu o gwmpas y fferm. Llygoden fawr gyda chlustiau amlwg a chynffon hir, noeth.

Cwningen (*Oryctolagus cunniculus*; Rabbit)
Cyflwynwyd y gwningen i Brydain yn yr Oesoedd Canol ac mae'n gyffredin drwy'r wlad. Mae ganddi glustiau hir a chynffon fach wen, ac mae'n byw'n gymdeithasol mewn cwningaroedd.

Adeiladau Fferm

Trwy'r Tymhorau

Mae gwaith y ffermwr, a natur o'i gwmpas, yn newid o dymor i dymor – ac er nad yw'r ffermwr mor gaeth i'r tywydd ag yr oedd erstalwm, mae'r tymhorau'n parhau i fod yn ddylanwad mawr ar gynefin y fferm.

Gaeaf

Hwn yw cyfnod mwyaf llwm y flwyddyn i anifeiliaid y fferm ac i fywyd gwyllt. Pan ddaw'r tywydd garw, bydd llawer o'r gwartheg yn cael eu cadw mewn siediau mawr, ond fel y bywyd gwyllt, bydd y defaid yn aros y tu allan. Does fawr o flodau i'w gweld yr adeg yma o'r flwyddyn, er bod eirlysiau yn

Socan eira

Socan eira
(*Turdus pilaris*; Fieldfare)
Bydd yr aderyn mudol yma'n treulio'r gaeaf ym Mhrydain cyn dychwelyd i Sgandinafia ar ddechrau'r gwanwyn. Mae ganddo ben llwydlas, cefn brown a bol golau, brith. Mae'r crwmp a dan yr adain yn olau ac yn amlwg wrth iddo hedfan. Fe'u gwelir mewn heidiau mawr, yn aml gyda'r coch dan adain, yn bwydo ar aeron y perthi neu ar fwydod yn y caeau.

aml yn ymddangos ganol gaeaf, a'r cennin Pedr a'r briallu yn dynn ar eu sodlau. Heb ddail ar y coed, mae llawer o'r adar wedi mudo i'r de i chwilio am dywydd cynhesach a mwy o fwyd, ond yn eu lle daw ymwelwyr o'r gogledd pell.

Ym misoedd y gaeaf daw miloedd o ddrudwy i fwydo ar y caeau ymysg yr anifeiliaid, a bydd y socan eira a'r coch dan adain yn chwilio am aeron ar y perthi ac afalau yn y perllannau. Er bod draenogod ac ystlumod yn cysgu trwy'r tywydd oeraf, byddan nhw'n ymddangos ar nosweithiau mwyn i chwilio am fwyd. Hwn yw'r amser prysuraf i'r llwynog – mae'r ast yn ceisio denu ci ac yn udo drwy'r nos ar adegau. Mae hefyd yn amser prysur i'r dylluan frech yn y coedlannau wrth iddi baratoi i ddodwy ar ddiwedd y gaeaf, tua'r un amser ag y bydd yr ŵyn bach cyntaf yn ymddangos ar dir isel.

Carlwm
(*Mustela erminea*;
Stoat
Anifail mwy na'r wenci, gyda ffwr browngoch ar y cefn a'r ystlys, bol gwyn a blaen du i'r gynffon. Bydd rhai ohonynt yn troi'n wyn yn y gaeaf, yn enwedig yn yr ucheldir. Mae'n weddol gyffredin, yn enwedig lle ceir digonedd o gwningod, ei hoff brae.

Carlwm

Gwanwyn

Mae'r tymor yma'n un prysur tu hwnt. Bydd dail yn ymddangos ar y coed collddail, yr adar yn canu ac yn dechrau nythu, ac wyna yn ei anterth. Ar ôl gaeaf llwm, bydd y borfa a'r planhigion gwyllt yn tyfu'n gyflym wrth i'r haul gryfhau; bydd y blodau cynnar yn marw a blodau menyn, blodau taranau a chlychau'r gog yn ymddangos yn eu lle. I rai ffermwyr yr iseldir, mae'n amser aredig y tir i baratoi at blannu cnydau, a bydd nythfeydd yr ydfrain yn swnllyd dros ben wrth i'r oedolion fwydo'r cywion. Yn y perthi, bydd madfallod yn ymddangos, ac mewn pyllau bas bydd grifft llyffant yn deor a'r madfallod dŵr yn paratoi i fridio.

Mae'r dail newydd yn fwyd pwysig i lindys, a hwythau'n brae i adar fel y titŵod. Wrth iddi gynhesu, bydd llawer o drychfilod yn ymddangos, gan gynnwys gwyfynod fel blaen brigyn a gwalch-wyfyn poplys, a bydd gwenyn a chacwn yn adeiladu eu nythod bregus. Cyn diwedd y gwanwyn, bydd silwair cynta'r flwyddyn wedi ei dorri a'r ŵyn cynnar yn barod i fynd i'r farchnad. I fywyd gwyllt ac i'r ffermwr, mae'r gwanwyn yn dymor prysur.

Cynffonnau ŵyn bach

Pryf teiliwr mawr
(*Tipula maxima*; Crane fly)
Pryf teiliwr mawr, cyffredin,
â phatrwm brown ar yr
adenydd. Mae'n hoff o
goedwigoedd a chaeau gwlyb
a bydd yn hedfan yn y
gwanwyn a'r haf.

Pryf teiliwr mawr

Y gog

Clychau'r gog

Gwanwyn

Haf

Gyda'r tywydd ar ei orau a'r dyddiau'n hir, mae'r haf yn amser o ddigonedd i bawb. Bydd llawer o'r adar yn brysur yn bwydo'u cywion wedi iddyn nhw adael y nyth a bydd creaduriaid rheibus fel y llwynog a'r gwalch glas yn manteisio ar ansicrwydd yr anifeiliaid a'r adar ifanc, dibrofiad. Mae'r blodau ar eu gorau erbyn hyn a'r caeau gwair yn llawn lliw. Bydd y rhain yn denu glöynnod byw fel y glesyn cyffredin a'r gwyn gwythïen werdd, a'r fêl-wenynen wrth iddi hel paill a neithdar ar gyfer y cannoedd o larfâu sy'n datblygu yn y nyth.

Tuag at ddiwedd yr haf, os daw cyfnod sych, heulog, bydd ffermwyr yr iseldir yn torri eu cnydau o wenith a barlys, a bydd yr hadau sy'n weddill ar y caeau yn fwyd pwysig i adar mân fel llinosiaid a'r ehedydd. Bydd rhai o'r adar yn dechrau mudo, ac mae heidiau o wenoliaid yn ymgynnull ar wifrau trydan yn parhau i fod yn un o olygfeydd mwyaf cyfarwydd diwedd yr haf.

Pryf llwyd

Pryf llwyd (*Haematopota pluvialis*; Cleg fly) Mae ganddo gorff llwydfrown ac adenydd brown sy'n cael eu dal fel pabell uwchben y corff. Mae'r llygaid yn symudliw a bydd yn hedfan rhwng Mai a Medi.

Gwennol (*Hirundo rustica*; Swallow)
Aderyn mudol cyfarwydd iawn sy'n
aml i'w weld yn bwydo ar bryfed
uwchben perthi neu gaeau gwair.
Bydd yn adeiladu cwpan o nyth
wedi ei wneud o fwd, yn aml
mewn adeiladau fferm. Mae gan y
wennol gefn glas, bochau a thalcen
coch, bol gwyn a chynffon hir,
las. Bydd yn cyrraedd ein glannau
ym Mawrth ac Ebrill cyn gadael i
ddychwelyd i'r Affrig ym misoedd Awst,
Medi a Hydref.

Gwenoliaid

**Glesyn cyffredin
(*Polyommatus icarus*;
Common blue)**
Glöyn cyffredin mewn
glaswelltir garw a bydd sawl
deoriad yn hedfan rhwng Ebrill
a Medi. Mae'r gwryw yn löyn
hardd ag uwchadain las ond
brown yw uwchadain y fenyw.
Mae tanadain y ddau yn
llwydfrown gyda smotiau
du ac oren. Meillion yw
bwyd y lindys.

Glesyn cyffredin

Haf

Hydref

Yr amser hwn o'r flwyddyn, mae poblogaethau mamaliaid bach fel llygod y maes a'r llygoden bengron goch ar eu huchaf wrth iddyn nhw gymryd mantais o'r digonedd o hadau a ffrwythau yn y perthi a'r coedlannau. Mae mwyar duon ac aeron coch y rhosod gwyllt yn amlwg iawn ac yn fwyd i adar yn ogystal â'r mamaliaid. Bydd glöynnod byw fel y fantell goch yn sugno'r hylif o'r aeron aeddfed a'r hadau'n cael eu gwasgaru gan foch daear a llwynogod. Bydd y rhan fwyaf o'r planhigion ym môn y perthi wedi hen flodeuo a hadu, ond bydd ambell gloch y bugail yn parhau i daflu lliw i borfeydd gwelltog yr ucheldir.

Wrth i'r dyddiau fyrhau a'r tymheredd ostwng, bydd y pathew a'r ystlum yn paratoi i aeafgysgu, ac erbyn diwedd yr hydref bydd y caeau a'r perthi yn llawn o fronfreithod mudol o Sgandinafia, sef y socan eira a'r coch dan adain. Hwn hefyd yw tymor y cnau a'r concers, a chynhaeaf silwair olaf y flwyddyn. Mae'n dymor o ddigonedd gyda phawb yn paratoi'n ofalus ar gyfer y gaeaf hir sydd i ddod.

Pathewod

Mochyn daear

Mochyn daear *(Meles meles;* Badger)

Gyda'i wyneb du a gwyn trawiadol a'i gorff llwyd, mae'r mochyn daear yn anifail cyfarwydd i bawb. Mae'n byw'n gymdeithasol o dan y ddaear ac yn bwydo ar amrywiaeth eang o fwyd, gan gynnwys mwydod. Yn ddiweddar, mae wedi cael ei erlid gan ei fod yn cael ei gyhuddo o drosglwyddo'r diciâu i wartheg.

Llwynog

Hydref

Plygu Gwrych

Mae plygu gwrych yn un o hen grefftau cefn gwlad. Mae gwrych sydd wedi'i blygu'n daclus o werth mawr i'r ffermwr – mae'n lloches i ddefaid a gwartheg mewn tywydd mawr ac yn cynnig cysgod rhag gwres yr haul. Mae'n bwysig hefyd ar gyfer bywyd gwyllt – bydd blodau, rhedyn, mwsogl a chen yn tyfu ym môn y gwrych ac ar y coed. Yn eu tro mae trychfilod o bob math yn bwydo ar y rhain, ac adar mân yn bwydo ar y trychfilod. Bydd mamaliaid bach yn defnyddio'r gwrych fel cysgod ac fel llwybrau i symud o le i le, a'r ystlumod yn ei ddefnyddio i hela trychfilod yn y nos.

Er mwyn plygu gwrych yn grefftus, mae'n rhaid hollti coeden bron wrth ei bôn. Wrth i'r darn o'r goeden sydd wedi'i wreiddio yn y ddaear gael ei blygu yn ôl, mae dŵr a maeth yn dal i allu llifo drwyddo, sy'n rhoi cyfle i dyfiant newydd godi ohono.

Profiad Ffermwr yr Ucheldir

Alun Elidyr

Ffermwr mynydd ydw i. Mae ffin allanol Cae Coch yn cwmpasu tua saith can erw, o gaeau gleision rhygwellt ger afon Wnion, drwy orgors rugog Foel Fach, i laswellt y bwla rhwng creigiau mwsoglyd a chennog crib Aran Fawddwy. Plannwyd coed duon ar gan erw o'r ffriddoedd gorau yn y pum degau.

Yn raddol, rydw i wedi newid y dull o amaethu. Y newid pennaf oedd ymuno â chynllun Tir Gofal i gefnogi ffermwyr i warchod cynefinoedd bregus. Dros ddeng mlynedd y cynllun mi blannais 14,000 o goed i sefydlu gwrychoedd – yn gyll, gwernen, drain, cerddinen, ynn a deri.

Erbyn hyn, mae 400 o ddefaid ac ŵyn yn pori ar waelod mynydd Foel Fawr, ond erstalwm cynefin y gwartheg oedd hwn – rhai duon, corniog. Byddai'r rhain yn ffynnu ar y maeswellt, llus a brwyn, heb damaid o wrtaith ar y pridd asidig.

O'r fferm, gellir gweld llinellau syfrdanol y waliau cerrig sychion sy'n dystiolaeth o grefft ac ymroddiad cenedlaethau o amaethwyr. Cawsom dywydd garw yng ngwanwyn 2013, a dinistriwyd tair wal gan bwysau'r eira – does dim dwywaith, er fy holl ymdrechion, nad natur sy'n rheoli fan hyn.

Mae yn yr ardal yma strwythur cymdeithasol cryf, sy'n golygu fod cymdogion wastad ar gael i helpu'r naill a'r llall adeg hel mynydd, cneifio, diddyfnu neu dynnu llo – a hynny ar fyr rybudd yn aml. Rydan ni'r ffermwyr yn falch iawn o'n ffordd ni o fyw, a hir oes i'r gymdeithas amaethyddol sy'n llawn o gymeriadau brith a bywiog.

Adran adnabod

Fedrwch chi ddod o hyd i'r rhain ar y fferm?

Twrch daear

Briallu

Draenen wen

Ffesant

Glesyn cyffredin

Ceirch

Sioncyn gwair

Ydfran

Cwningen

Draenen ddu

Pryf llwyd

Briallu Mair

Ysgyfarnog	Llwynog	Gwenith
Bwncath	Tylluan wen	Fioled
Gwennol	Oen bach	Y Fêl-wenynen
Cloch yr eos	Criafolen / Cerddinen	Cog / Cwcw

Offer

Pâr o welintons Mae pâr o welintons neu esgidiau cryfion yn hanfodol i grwydro o amgylch caeau mwdlyd.

Sbienddrych Gallwch wylio adar ac anifeiliaid o bell heb aflonyddu arnyn nhw.

Chwyddwydr Mae'n ddefnyddiol i astudio anifeiliaid, planhigion bach a thrychfilod.

Rhwyd I astudio bywyd gwyllt mewn dŵr, a gellir ei defnyddio hefyd i ddal trychfilod mewn caeau gwair.

Blwch trychfilod Teclyn plastig a chlawr fel chwyddwydr arno, i astudio trychfilod heb aflonyddu'n ormodol arnyn nhw.

Camera I gadw cofnod o'r bywyd gwyllt, ac i gofnodi bywyd gwyllt anarferol.

Llyfr nodiadau a phensil Mae'r ddau yma'n angenrheidiol i gadw cofnodion a darlunio'r bywyd gwyllt a'r tirlun. Gallwch wneud arolwg a chofnodi newidiadau dros amser.

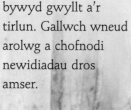

Cod Cefn Gwlad a Diogelwch

Mae'r fferm yn safle anturus a chyffrous iawn, ond mae'n bwysig cofio bod y fferm yn lle peryglus hefyd. Pan fyddwch yn ymweld â ffermdir a chefn gwlad, mae gofyn dilyn y Cod Cefn Gwlad, sef:

Parchwch, Diogelwch a Mwynhewch.

Parchwch bobol eraill
• Meddyliwch am y bobol eraill sy'n mwynhau'r awyr agored
• Caewch glwydi ac arhoswch ar y llwybrau os yw'n bosib

Diogelwch yr amgylchedd naturiol
• Peidiwch â gadael unrhyw arwydd eich bod wedi bod yno, ac ewch â'ch sbwriel gyda chi
• Cadwch eich cŵn dan reolaeth effeithiol

Mwynhewch a gwnewch yn siŵr eich bod yn saff
• Cynlluniwch eich taith a byddwch yn barod am unrhyw beth annisgwyl
• Dilynwch bob arwydd

Llyfryddiaeth a Gwefannau

Llyfr Natur Iolo, Iolo Williams a Bethan Wyn Jones; Gwasg Carreg Gwalch
Blodau Gwyllt Cymru ac Ynysoedd Prydain, Bethan Wyn Jones; Gwasg Carreg Gwalch
Llyfr Adar Iolo Williams, Gwasg Carreg Gwalch
Naturetrail Book of the Countryside, Usborne Books. Mae gwefan hefyd:
www.usborne-quicklinks.com (Mae angen i chi roi 'countryside' pan fyddan nhw'n
holi, ac mae rhan Gymraeg hefyd)
www.eryri-npa.gov.uk – gwefan Parc Cenedlaethol Eryri, sy'n cynnwys gwybodaeth
ar gyrsiau cefn gwlad a bywyd gwyllt ym Mhlas Tan-y-bwlch
www.beacons-npa.gov.uk – gwefan Parc Cenedlaethol Bannau Brycheiniog
www.pembrokeshirecoast.org.uk – gwefan Parc Cenedlaethol Arfordir Penfro
www.wildlifetrusts.org – gwefan Ymddiriedolaethau Bywyd Gwyllt Cymru,
yn cynnwys gwybodaeth am ffermydd Gilfach (Maesyfed) a Phentwyn (Gwent)
www.fwag.org.uk – gwefan y Farming and Wildlife Advisory Group
www.naturalresourceswales.gov.uk – gwefan Cyfoeth Naturiol Cymru,
gyda gwybodaeth am 'Glastir', sef cynllun amaeth-amgylcheddol Cymru
www.cywain.com – gwefan Cywain Gwenyn sy'n rhoi gwybodaeth ddefnyddiol
am gadw gwenyn
www.llennatur.com – gwefan digwyddiadau naturiol hanesyddol a chyfoes yng Nghymru
www.gwaithmaes.org – gwefan cymdeithas sy'n hyrwyddo addysg amgylcheddol
yn ysgolion Cymru
www.denmarkfarm.org.uk – gwefan canolfan cadwraeth a fferm amgylcheddol

Geirfa

Coden - capsiwl gwydn sy'n diogelu larfa llyngyren barasitig
Ffylwm - un o'r prif gategorïau tacsonomaidd
Larfa - ffurf anaeddfed, fywiog o anifail sy'n arddangos metamorffosis
Medelwyr - y rhai sy'n torri'r cnydau hefo pladur neu gryman
Mirasidiwm - cyfnod o larfa'n nofio'n rhydd, pan mae llyngyren yr iau yn pasio o wy
i'w letywr cyntaf
Nymff - ffurf anaeddfed o drychfilyn nad yw'n arddangos metamorffosis llawn
Pladur - Offeryn i dorri gwair ac iddo goes hir a llafn hirgrwm
Sercaria – cyfnod o larfa'n nofio'n rhydd; mae llyngyren yr iau yn pasio o ryngolyn
(malwen fel arfer) i letywr arall
Thoracs - rhan o'r corff rhwng y gwddw a'r abdomen

Mynegai

Mae'r termau Lladin a Saesneg
i'w cael ym mhrif gorff y llyfr